KU-711-567

Bayern

Sehenswertes, Dialekt und Rezepte

tosa

Inhalt

Vorwort

Bayern ist eine Region voller Geschichten und Geschichte. Es ist
der Standort von vielen bedeutenden historischen Gebäuden, wie
z. B. das Kloster Andechs, das Schloss Neuschwanstein oder das
Siegestor in München. Zahlreiche wichtige Persönlichkeiten stehen
mit Bayern in Verbindung, beispielsweise Richard Strauss, Franz
Beckenbauer oder Karl Valentin. Kurzum: Auf einer Reise durch
Bayern lässt sich viel entdecken, erfahren und erleben. Besondere
Highlights und Sehenswürdigkeiten haben wir im vorliegenden
Buch für Sie zusammengestellt und mit interessanten Informatio-
nen versehen. Manches ist Ihnen vielleicht schon bekannt, vieles
aber auch neu.

Nicht zu vergessen sind die besonderen landschaftlichen Schmuck-
stücke, die Bayern zu bieten hat. Imposante Berge wie der Watzmann

oder die Zugspitze begeistern die Besucher zu allen Jahreszeiten. Die zahlreichen Bergseen wie der Freibergsee oder der Walchensee liegen inmitten von herrlichen Wandergebieten.

Zur kulinarischen Einstimmung finden Sie eine Vielfalt an Rezepten aus der bayerischen Küche – damit Sie Ihren kleinen Ausflug oder Ihre Reise durch Bayern mit allen Sinnen genießen können.

Und damit Sie die Bayern mit ihrem klangvollen Dialekt auch verstehen, machen wir Sie mit einigen grundlegenden Begriffen vertraut.

Viel Freude beim Blättern und Schauen, einen angenehmen Aufenthalt und einen guten Appetit!

Brotsuppe

Für 4 Personen: • **4** Brezeln vom Vortag • **3** Zwiebeln • **1 EL** Butterschmalz
• **1 TL** Weizenmehl • **½ TL** gemahlener Kümmel • **1 TL** Paprikapulver
• **1 l** Fleischbrühe • **1** Bund Schnittlauch • Salz und Pfeffer

Die Brezeln in dünne Scheiben und die Zwiebeln in feine Ringe schneiden. In einem Topf die Zwiebeln im Butterschmalz goldbraun braten. Die Brezeln hinzugeben und kurz mitbraten. Mehl, Kümmel und Paprikapulver darübergeben, anschwitzen und mit Fleischbrühe ablöschen. Bei schwacher Hitze 10 Minuten köcheln lassen, mit Salz und Pfeffer würzen. Die Suppe auf Tellern verteilen und mit Schnittlauchröllchen garnieren.

Neues Rathaus in München

Weil der Platz im Alten Rathaus nicht mehr ausreichte, wurde von 1867 bis 1909 das Neue Rathaus am Marienplatz in München errichtet. Der Turm des neugotischen Gebäudes bietet einiges für Ohren und Augen: Täglich um 11 und 12 Uhr (von März bis Oktober auch um 17 Uhr) erklingt dort ein Glockenspiel mit 43 Glocken, zu deren Klang sich 32 Spielfiguren mit Motiven aus der Geschichte Münchens bewegen.

Chiemsee

Der Chiemsee wird auch „bayrisches Meer" genannt und ist mit rund 80 km² der drittgrößte See Deutschlands. Seine Uferwiesen, Moore und Wälder bieten zahlreichen Tieren einen reichhaltigen und geschützten Lebensraum. Die Fraueninsel mit dem Nonnenkloster und die Herreninsel mit dem als Versailles-Kopie erbauten Schloss sind beliebte Ausflugsziele – auch für Besucher des jeweils anderen Geschlechts!

König Ludwig I. von Bayern

Als glühender Bewunderer der griechischen und römischen Antike trug König Ludwig I. von Bayern (1786 – 1868) zum klassizistischen Erscheinungsbild Münchens entscheidend bei. Auf seine Anordnung hin entstanden z. B. die Alte Pinakothek, die Staatsbibliothek, das Siegestor und die Bavariastatue auf der Theresienwiese.

Kloster Andechs

Als Aufbewahrungsort von Reliquien aus dem Heiligen Land und der „Drei Heiligen Hostien" von Papst Gregor dem Großen und Leo IX. geht die Geschichte von Kloster Andechs bis ins 10. Jahrhundert zurück. Besondere Bekanntheit erlangte Andechs durch die Erzeugnisse seiner Klosterbrauerei, die seit 1455 urkundlich nachgewiesen sind. Das beliebte Andechser-Bier kann in der angegliederten Klosterschänke genossen werden.

Leberknödelsuppe

Für 4 Personen: • **3** Brötchen vom Vortag • **1** Zwiebel • **1** Knoblauchzehe • **20 g** Butter • **100 ml** Milch • **200 g** Rinderleber, durch den Fleischwolf gedreht • **1** Ei • abgeriebene Schale von **½** Zitrone, unbehandelt • Muskat • **2 TL** Majoran • **½ Bund** Petersilie • **1 l** Fleischbrühe • Salz und Pfeffer

Die Brötchen in Würfel schneiden und in eine Schüssel geben. Zwiebel und Knoblauch klein schneiden, in der Butter anschwitzen und dazugeben. Die Milch erwärmen und über die Brötchen gießen. Leber, Ei, Salz, Pfeffer, Zitronenschale, Muskat, Majoran und gehackte Petersilie zur Knödelmasse geben. Alles vermischen und 20 Minuten ruhen lassen. Aus der Masse Knödel formen und 20 Minuten in der heißen Fleischbrühe garen.

Interessant!

Die Domorgel im Passauer Stephansdom gilt als größte katholische Kirchenorgel der Welt.

Frauenkirche in München

Der „Dom zu Unserer Lieben Frau" oder auch kurz „Frauenkirche" genannt gilt als Wahrzeichen Münchens. Der spätgotische Backsteinbau (1468 – 1488) mit seinen fast 100 Meter hohen Türmen ist weithin sichtbar. Die Türme wurden 1525 fertiggestellt und sind mit ihrer Kuppelbekrönung vermutlich vom Felsendom in Jerusalem inspiriert.

Passauer Residenzplatz – Wittelsbacherbrunnen

Der Wittelsbacherbrunnen auf dem Residenzplatz in Passau wurde 1903 anlässlich der 100-jährigen Zugehörigkeit der Stadt zu Bayern errichtet. Der Figurenschmuck besteht aus einer Madonna mit Kind und drei kleinen Engeln, die für die drei Flüsse Passaus – Donau, Inn und Ilz – stehen.

Maibaum

In manchen Gegenden Bayerns wird der meist reich verzierte Maibaum vor dem Aufstellen am 1. Mai in einer Prozession durchs Dorf getragen. Das Aufstellen erfolgt unter musikalischer Begleitung auf einem zentral gelegenen Platz. Der Maibaum gilt als Symbol des Frühlings und der Fruchtbarkeit.

Baumburger Turm

Der siebengeschossige Baumburger Turm in Regensburg wurde 1270 als *Geschlechterturm* nach italienischem Vorbild errichtet. Diese Türme dienten weniger der Verteidigung, sondern waren vor allem weithin sichtbare „Statussymbole".

Donaudurchbruch
bei Weltenburg

Das Gebiet des Donaudurchbruchs ist ein Naturdenkmal.
Die Donau fließt hier über 5,5 km hinweg an bis zu 80 m
hohen Felsen vorbei. Auf reizvollen Wanderwegen oder bei
einer Bootsfahrt kann man die spektakulären Felsforma-
tionen erleben.

Schnapsmuseum Oberstdorf

Nach einem reichhaltigen Essen ist ein typisch bayrischer Bärwurzschnaps besonders wohltuend. Im Schnapsmuseum Oberstdorf lernt der Besucher vieles über das Brennen des guten Tropfens. Die komplette Einrichtung einer Brennerei aus den 1920er-Jahren ist hier ausgestellt.

Krautsalat

Für 4 Personen: • **750 g** Weißkraut • **3 EL** Öl • **3 EL** Weißweinessig
• **1 TL** Kümmel • **100 g** geräucherter Speck • Salz und Pfeffer

Das Kraut in feine Streifen schneiden. Das Öl in einer Pfanne erhitzen, das Kraut hinzufügen, mit Salz und Pfeffer würzen und bei mittlerer Hitze 5 Minuten braten. Mit Essig und Kümmel in eine Schüssel geben. Den Speck würfeln, in einer trockenen Pfanne ohne Fett knusprig anbraten und in die Schüssel geben. Den Salat gut vermischen und eine Stunde durchziehen lassen.

Gerhard Polt

Während der Verleihung des Kleinkunstpreises an den bayrischen Kabarettisten Gerhard Polt (geb. 1942) 1980 durch das ZDF füllte dieser die ihm zustehende Redezeit mit Schweigen und sporadischen Hinweisen auf die bereits vergangenen Minuten. Damit revanchierte sich Polt an der Redaktion des Senders für die Zensur seiner Texte zur Meineidaffäre um den CSU-Politiker Friedrich Zimmermann, dem Polt den Beinamen „Old Schwurhand" gegeben hatte.

Dialekt

Ozapft is! = Es ist angezapft!

Bayerischer Wurstsalat

Für 4 Personen: • **500 g** Regensburger Wurst oder Lyoner • **2** Zwiebeln • **150 g** Gewürz-gurken • **4 EL** Rotweinessig • **2 EL** Öl • **1 Prise** Zucker • **1 Bund** Schnittlauch • Salz und Pfeffer

Die Wurst pellen und in dünne Scheiben schneiden. Zwiebeln und Gurken in feine Ringe schneiden. Essig, Öl, Salz, Pfeffer, 1 Prise Zucker und 1 Tasse Wasser verrühren. Damit den Salat anmachen und zugedeckt ziehen lassen. Vor dem Servieren den Salat durchrühren und mit Schnittlauchröllchen garnieren.

Schloss Nymphenburg

1863 trafen sich König Ludwig II. von Bayern und Otto von Bismarck auf Schloss Nymphenburg. Sie blieben sich in lebenslanger Freundschaft verbunden.

Wallfahrtsort Altötting

Im größten Wallfahrtsort Deutschlands, Altötting, treffen sich zu Pfingsten jährlich bis zu 7000 Menschen. Der Legende nach wurde in der Gnadenkapelle im 15. Jahrhundert ein ertrunkenes Kind wieder zum Leben erweckt.

Watzmann

Der Sage nach war König Watzmann ein grausamer und blutrünstiger Herrscher. Nach dem Mord an einer unschuldigen Hirtenfamilie wurde er als Rache mitsamt seiner Frau und seinen Kindern in Felsen verwandelt: den Watzmann, die Watzmannfrau und die Watzmannkinder.

Legoland Günzburg

Das Legoland Günzburg wurde 2012 als kinderfreundlichster Freizeitpark ausgezeichnet. Zahlreiche Attraktionen, Fahrgeschäfte und Erlebnisbereiche, wie z. B. interaktive Schatzsuche, warten hier auf große und kleine Legofreunde.

Erdäpfelkäs

Für 4 Personen: • **500 g** mehlig kochende Kartoffeln • **100 g** süße Sahne • **4 EL** saure Sahne • **1** Zwiebel • **1 Bund** Schnittlauch • Salz und Pfeffer

Die Kartoffeln ca. 20 Minuten kochen, pellen und grob zerdrücken. Süße und saure Sahne mit der Kartoffelmasse vermischen und mit Salz und Pfeffer würzen. Die Zwiebel fein hacken und den Schnittlauch in feine Röllchen schneiden. Mit den Kartoffeln vermischen und daraus eine Kugel formen. Mit Schnittlauchröllchen bestreut servieren.

Passionsspiele Oberammergau

Die Passionsspiele in Oberammergau gehen auf ein Versprechen nach der überstandenen Pest von 1634 zurück. Die Spiele werden im Turnus von 10 Jahren von Oberammergauer Bürgern aufgeführt.

Wikingerdorf am Walchensee

Nach den Dreharbeiten von *Wickie und die starken Männer* (2008) verblieben einige der Hütten des Wikingerdorfes am Walchensee und sind nun für Familien mit Kindern eine touristische Attraktion.

Bavaria an der Theresienwiese

Die Monumentalskulptur der Bavaria an der
Münchner Theresienwiese wurde aus vier Teilen in Bronzehohlguss zusammengefügt. Der
Kopf besteht aus recycelten Bronzekanonen
der besiegten ägyptisch-türkischen Flotte, die
im griechischen Unabhängigkeitskrieg unter-
gegangen war. Der damalige griechische König
Otto war der Sohn Ludwigs I., der die Anferti-
gung der Skulptur in Auftrag gegeben hatte.

Obatzda

Für 4 Personen: • 1 Zwiebel • **300 g** reifer Camembert • **80 g** weiche Butter • **100 g** Frischkäse • **1 TL** Paprikapulver • **1 Bund** Schnittlauch • Salz und Pfeffer

Die Zwiebel fein hacken und den Camembert mit einer Gabel zerdrücken. Butter, Frischkäse und Zwiebel untermischen. Mit Paprika, Salz und Pfeffer würzen. Etwa 30 Minuten zugedeckt durchziehen lassen. Den Schnittlauch waschen, in Röllchen schneiden und den Obatzda damit bestreuen.

Schloss Amerang

Auf Schloss Amerang im oberbayerischen Landkreis Rosenheim findet jährlich in der zweiten Augusthälfte ein mehrtägiges Ritterfest statt. Der heutige Besitzer Freiherr von Crailsheim stammt selbst aus einem alten Rittergeschlecht.

Hintersee – Berchtesgadener Land

Am Hintersee hatte sich im 19. Jahrhundert eine Maler-kolonie entwickelt, zu der u. a. Wilhelm Busch, Carl Spitzweg und Ludwig Richter gehörten. Auf dem Maler-Rundwander-weg kann man die Gemälde an ihren Entstehungsorten bewundern.

Dialekt

Nudelweuger = Nudelholz

Steckerlfisch

Diese Spezialität wird häufig in Biergärten und bei Volksfesten serviert. Steckerlfisch wird aus verschiedenen Fischen wie z. B. Forellen, Makrelen oder Saiblingen, zubereitet, die an einem „Steckerl" (kleiner Stecken, Stab) gegrillt werden.

Franz Josef Strauß

Neben der Politik hatte Franz Josef Strauß (1915 – 1988) noch eine große Leidenschaft: das Fliegen. Mit 53 Jahren erwarb er einen Pilotenschein.

Porta Praetoria in Regensburg

Während der Regierungszeit des römischen Kaisers Marc Aurel wurde hier um 179 n. Chr. unter dem Namen *Castra Regina* ein Legionslager gegründet, aus dem später die Stadt Regensburg entstand. *Porta Praetoria* war der Name für das Haupttor. Beim Bau des Regensburger Bischofshofs im 16. Jahrhundert wurde die *Porta Praetoria* in das Gebäude integriert.

Alphornbläser

Alphörner werden aus krumm gewachsenem Fichtenholz hergestellt. Ein am Hang gewachsener Fichtenstamm wird geschält, halbiert und in langwieriger Handarbeit ausgehöhlt. Anschließend werden die beiden Hälften zusammengefügt und mit Peddigrohr umwickelt. Ein besonderes Klangerlebnis ist das Allgäuer Alphornbläsertreffen, das jährlich an wechselnden Orten stattfindet.

Kloster Frauenchiemsee

Inmitten des idyllischen Chiemsees liegt auf der Fraueninsel das Benediktinerinnenkloster Frauenchiemsee. Erste Äbtissin des Klosters war Irmgard (831–866), eine Tochter von König Ludwig dem Deutschen.

Weißwurst mit süßem Senf und Brezen

Für 4 Personen: • **8** Weißwürste • süßer Senf • Petersilie • **4** Brezen

In einem Topf Wasser zum Kochen bringen. Den Topf von der Platte nehmen und das Wasser etwas abkühlen lassen. Erst dann die Weißwürste hineingeben und 10 Minuten ziehen lassen. Die Würste herausnehmen, abtropfen lassen und mit süßem Senf, Petersilie und Brezen servieren.

Bayerische Tracht

Am ersten Sonntag des Oktoberfestes in München findet
der große Trachtenumzug statt. Mehr als 150 Trachtengrup-
pen mit rund 9000 Teilnehmern ziehen aus der Innenstadt
auf die „Wiesn" und zeigen dabei die große Vielfalt der
bayerischen Trachtenkultur.

Zugspitze

Die Zugspitze im Wettersteingebirge als höchster Berg
Deutschlands wurde vermutlich erstmals am 27. August
1820 von Josef Naus und seinem Bergführer Johann Georg
Tauschl bestiegen. Naus war Vermessungstechniker und
hatte als Offizier des bayerischen Heeres den Auftrag erhal-
ten, von der Region eine topografische Karte anzufertigen.

Olympia-Skisprungschanze in Garmisch-Partenkirchen

Nicht nur für Skifahrer: 1999 erzielte Toni Roßberger mit seinem Motocross-Motorrad auf der Großen Olympiaschanze in Garmisch-Partenkirchen mit 80 Metern den Sprungrekord für Motorräder.

Wolpertinger

Die Schöpfung dieses Fabelwesens geht auf Tierpräparatoren des 19. Jahrhunderts zurück. Sie stellten Präparate verschiedener Körperteile zusammen und verkauften sie an leichtgläubige Touristen. Die Herkunft des Namens ist ungeklärt.

Gefüllte Kalbsbrust

Für 4 Personen

Für die Füllung:

- **1** Zwiebel
- **2** Brötchen
- **1 Bund** Petersilie
- **1 EL** Butter
- **150 g** Champignons
- Muskat
- **4 EL** süße Sahne
- **2** Eier

- **1,5 kg** Kalbsbrust mit eingeschnittener Tasche
- Öl
- Salz und Pfeffer

Für die Soße:

- **400 ml** Fleischbrühe

Gefüllte Kalbsbrust

Die Zwiebel abziehen und hacken, die Brötchen würfeln, die Petersilie fein hacken, die Champignons putzen und in dünne Scheiben schneiden. Zwiebel und Pilze in Butter anbraten und mit Petersilie, Salz, Pfeffer und geriebenem Muskat würzen. Brotwürfel und Sahne dazugeben und 2 Minuten braten. Etwas abkühlen lassen, dann die Eier unterrühren. Die Kalbsbrust salzen und pfeffern, mit der Brotmasse füllen und zunähen. Den Backofen auf 200 °C vorheizen. Die Kalbsbrust in Öl von beiden Seiten kräftig anbraten, die Hälfte der Fleischbrühe angießen. Das Fleisch im Ofen auf der mittleren Schiebeleiste 2 Stunden braten. Dabei die restliche Brühe angießen und den Braten mit Bratfond begießen.

Hopfenanbaugebiet Hallertau

Der Zusatz von Hopfen beim Brauen von Bier ist nicht nur für den Geschmack des Getränks wichtig. Die Bitterstoffe des Hopfens tragen entscheidend zur Haltbarkeit des Biers bei. Die Hallertau ist das größte Anbaugebiet für Hopfen in Deutschland.

Rießersee in Garmisch-Partenkirchen

Der bereits im Mittelalter künstlich angelegte See ist ein beliebtes Ausflugsziel. Hier kann man baden oder auf dem Rundwanderweg den Blick auf das Wettersteingebirge genießen. Im Winter wird der zugefrorene See für den Eissport genutzt. In unmittelbarer Nähe befindet sich die Olympia-Bobbahn Rießersee, die 1910 in Betrieb genommen und nach einigen tödlichen Unfällen 1966 geschlossen wurde. Sie steht seit 1973 unter Denkmalschutz.

Siegestor in München

Die Errichtung des Siegestors in München geht auf Ludwig I. von Bayern zurück und war als prachtvoller Abschluss der Ludwigstraße gedacht. Im Zweiten Weltkrieg wurde das Siegestor stark beschädigt und 1958 neu aufgebaut.

Lüftlmalerei in Bad Tölz

Als volkstümliche Spielart der barocken Scheinmalerei werden in der Lüftlmalerei gerne Architekturelemente an Gebäuden vorgetäuscht. Ebenfalls beliebt sind Heiligenmotive, Spruchbänder und Sonnenuhren.

Schloss Linderhof

Schloss Linderhof in Ettal ist zwar das kleinste der drei Schlösser von König Ludwig II., doch hielt er sich hier am liebsten auf. In der Venusgrotte im Schlosspark ließ sich der König in einem muschelförmigen Kahn übers blau beleuchtete Wasser rudern.

Fingernudeln

Für 4 Personen: • **1 kg** Kartoffeln • **150 g** Weizenmehl • **2 Eier** • **1 kg** Weißkraut
• **1 Zwiebel** • **120 g** Butterschmalz • **2 EL** Zucker • **1 Lorbeerblatt** • **2 TL** Kümmel
• **500 ml** Gemüsebrühe • **2 EL** Essig • **2 EL** Apfelmus • Salz und Pfeffer

Die Kartoffeln mit Schale kochen, pellen und noch heiß durch eine
Presse drücken. Mehl, Eier und Salz dazugeben und alles verkneten.
Das Weißkraut in Streifen schneiden, die Zwiebel klein schneiden und
beides in einem Topf mit Butterschmalz erhitzen. Den Zucker über das
Kraut geben. Salz, Pfeffer und die Gewürze dazugeben. Mit Brühe ablö-
schen und 15 Minuten köcheln lassen. Den Kartoffelteig zu fingergro-
ßen Nudeln rollen und in einer Pfanne mit Schmalz goldgelb braten.
Das Kraut vor dem Servieren mit Essig und Apfelmus abschmecken.

Biergarten

In den Biergärten rund um München ist
es traditionell möglich, selbst mitgebrachte
Speisen zu verzehren. Natürlich kann man
hier auch typisch bayerische Spezialitäten
wie Obatzda, Brezn oder Hendl bestellen.

Ottfried Fischer

Für seine schauspielerische Leistung in den Fernsehproduktionen „Der Bulle von Bad Tölz" und „Pfarrer Braun" wurde Ottfried Fischer (geb. 1953) 2004 zum 4. Mal als beliebtester Serienstar mit dem österreichischen Fernsehpreis „Goldene Romy" ausgezeichnet.

Ludwigstraße München

Planung und Bau der Ludwigstraße wurden von Ludwig I. in Auftrag gegeben. Der Magistrat Münchens wollte der Konzeption der Straße anfangs nicht zustimmen und die Länge der Straße kürzen. Als Ludwig I. daraufhin drohte, seine Residenz nach Ingolstadt oder Regensburg zu verlegen, wurde dem ursprünglichen Bauvorhaben stattgegeben.

Freibergsee
in Oberstdorf

Der Freibergsee liegt in
930 Meter Höhe und ist der
größte Hochgebirgssee des
Allgäus. Ein Bad im glasklaren
Wasser des Sees ist vor allem
nach dem 1 ¼-stündigen Fußmarsch vom Marktplatz Oberstdorf ein besonderes Erlebnis.

Die Propyläen am Königsplatz in München

Ludwig I. finanzierte die Erbauung der Propyläen aus privaten Mitteln. Die Torbauten sollten ein Symbol der Freundschaft zwischen Bayern und Griechenland sein. Als Vorbild dienten dem Architekten Leo von Klenze die Torbauten der Akropolis, von denen der Bau auch seinen Namen erhielt.

Dialekt

Oachkatzlschwoaf = Eichhörnchenschwanz

Bayerisches Bierfleisch

Für 4 Personen

- **2** Zwiebeln
- **2** Knoblauchzehen
- **2** Karotten
- **½ Knolle** Sellerie
- **1 Stange** Lauch
- **800 g** Rindergulasch
- **2 EL** Fett
- **1 EL** Weizenmehl

- **1 TL** Thymian
- **1 Prise** Liebstöckel
- Zucker
- **1 EL** Weißweinessig
- **500 ml** dunkles Bier
- **4** Kartoffeln
- Salz und Pfeffer

Bayerisches Bierfleisch

Die Zwiebeln und den Knoblauch abziehen und klein schneiden. Karotten und Sellerie schälen und schneiden. Den Lauch in große Stücke teilen. Das Fleisch portionsweise in etwas Fett scharf anbraten und wieder herausheben. Das restliche Fett in einen Topf geben, Zwiebeln und Knoblauch darin andünsten und mit Mehl bestäuben. Das Fleisch mit dem Gemüse und den Kräutern in einen feuerfesten Topf legen. Mit Salz, Zucker und Essig würzen und mit Bier aufgießen. Alles aufkochen lassen, dann mit fest verschlossenem Deckel im vorgeheizten Backofen bei 175 °C auf der unteren Schiebeleiste 1,5 Stunden schmoren lassen. Die Kartoffeln schälen und vierteln. Nach 1 Stunde Garzeit die Kartoffeln in den Eintopf geben. Die Soße mit Salz, Pfeffer und Zucker abschmecken. Den Eintopf weitere 30 Minuten im Backofen garen.

Oktoberfest in München

Seit 1810 wird das Oktoberfest als welt-
größtes Volksfest auf der Theresienwiese in
München gefeiert. Eröffnet wird das Fest
mit dem Fassanstich und dem berühmten
Ausruf: „Ozapft is!"

Walchensee

Mit 197 Metern Tiefe ist der Walchensee einer der tiefsten Alpenseen Deutschlands. Der Maler Lovis Corinth (1885–1925) schuf rund 60 Bilder vom Walchensee. Er besaß dort ein Haus, in dem er die Sommermonate verbrachte.

Schweinshaxe

Für 2 Personen: • **1** Schweinshaxe • **2 TL** Kümmel • **2** Karotten • **1** Sellerie • **3** Zwiebeln • **1** Knoblauchzehe • Salz und Pfeffer

Die Schwarte der Haxe einschneiden und mit Salz, Pfeffer und Kümmel würzen. Das Wurzelgemüse und die Zwiebeln putzen, in Würfel schneiden und mit dem klein geschnittenen Knoblauch in eine Bratform geben. Die Haxe daraufsetzen und mit Wasser aufgießen. Im Backofen bei 200 °C ca. 2 Stunden garen. Die Haxe dabei immer wieder mit dem Bratensaft übergießen. Dann die Haxe aus der Bratform nehmen und auf dem Rost ca. 5 Minuten knusprig bräunen. Den Bratensaft durch ein Sieb geben, abschmecken und einkochen lassen. Dazu passen Sauerkraut und Knödel.

Schloss Neuschwanstein

Das berühmte Märchenschloss Ludwigs II. wäre fast einer Sprengung zum Opfer gefallen. Es diente während des Zweiten Weltkriegs als Aufbewahrungsort für in Frankreich geraubte Beutekunst. 1945 erwog die SS die Sprengung des Schlosses, um zu verhindern, dass die dort gelagerten Kunstwerke in die Hände der Alliierten gelangten.

Die Bayernhymne

Melodie und Text der Bayernhymne gehen auf Konrad Max Kunz und Michael Öchsner zurück, zwei Mitglieder der Bürger-Sänger-Zunft München, die das Lied 1860 erstmals vortrug. Schon bald erlangte die Bayernhymne große Beliebtheit beim Volk und kursierte als Volkslied in mehreren Fassungen. 1953 ordnete der bayerische Landtag das Lernen der ersten beiden Strophen der Originalfassung in den Schulen an. Im Gegensatz zu anderen Regionalliedern wird die Bayernhymne strafrechtlich gegen Verunglimpfung geschützt.

Die Bayernhymne
Text von Michael Öchsner (1816-1893)
Melodie von Max Kunz (1812-1875)
1. Gott mit dir, du Land der Bay-ern, deut-sche Er-de, Va-ter-
land! Ü-ber dei-nen wei-ten Gau-en ru-he sei-ne
Er be-hü-te dei-ne Flu-ren, schir-me dei-ner
hal-te dir die Far-ben sei-nes
2. Gott mit dir, dem
lest in Eintracht und in

Gebratene Renke

Für 4 Personen: • **1 kg** Kartoffeln • **6 EL** Öl • **4** Renken, küchenfertig • Saft von **1** Zitrone • **½ Bund** glatte Petersilie • **150 g** Weizenmehl • **120 g** Butter • **1 Bund** gemischte Kräuter • Salz und Pfeffer

Die Kartoffeln halbieren, auf ein Backblech legen und mit 4 EL Öl, Salz und Pfeffer beträufeln. Bei 180 °C ca. 30 Minuten im Backofen backen. Die gewaschenen Renken trocken tupfen, mit Zitronensaft, Salz und Pfeffer einreiben. In jede Renke 2 Stängel Petersilie legen und den Fisch rundherum mit Mehl bestäuben. In einer Pfanne 80 g Butter zerlassen und die Renken von beiden Seiten ca. 6 Minuten braten. Die restliche Butter in einem Topf schmelzen und die fein gehackten Kräuter dazugeben. Die Renken mit den Kartoffeln und der Kräuterbutter auf Tellern anrichten.

Franz Marc Museum
in Kochel am See

Dieses Museum wurde zu Ehren des deutschen Malers
Franz Marc (1880–1916) gegründet, der zu den bedeutendsten Malern des Expressionismus gehört. Zusammen
mit Wassily Kandinsky gründete Franz Marc die bekannte
Redaktionsgemeinschaft „Der Blaue Reiter".

Kaiserin Sissi von Österreich

Das Leben der Kaiserin Elisabeth „Sissi" von Österreich, die ursprünglich aus Bayern stammte, wurde schon mehrmals verfilmt. Der erste Film, ein Stummfilm, wurde 1920 gedreht. Die Sissi-Trilogie mit Romy Schneider in der Hauptrolle ist die wohl bekannteste Verfilmung und prägte das Bild der Kaiserin Elisabeth.

Wimbachklamm in Berchtesgaden

Die Wimbachklamm im Nationalpark Berchtesgaden ist eine geologisch beeindruckende Sehenswürdigkeit und erstreckt sich über rund 200 Meter. Auf einem Wanderweg mit Brücken und Holzstegen kann die Klamm erkundet werden. Die Versteinerungen in den Wänden lassen vermuten, dass es hier früher ein Meer gab.

Interessant!

Der Gamsbart war früher die Zierde des erfolgreichen Jägers. Heute gehört er als traditionelle Kopfbedeckung zur bayerischen Tracht.

Tellerfleisch mit Meerrettich

Für 4 Personen

- **1 kg** Tafelspitz
- **3–4** Suppenknochen
- **2 Bund** Suppengrün
- **1** Zwiebel
- **1** Lorbeerblatt
- **1** Gewürznelke
- **1 TL** schwarze Pfeffer-
  körner

Für die Soße:

- **1 Stange** Meerrettich
- **1 EL** Semmelbrösel
- **1** Eigelb
- **3 EL** Weißweinessig
- Zucker
- weißer Pfeffer
- Schnittlauch
- Salz

Tellerfleisch mit Meerrettich

Das Fleisch und die Knochen in Salzwasser kochen. Bei mittlerer Hitze 30 Minuten köcheln lassen und regelmäßig den Schaum abschöpfen. Dann 1 ½ Stunden sanft köcheln lassen. Das Suppengrün waschen und putzen. Die Zwiebel schälen und mit dem Suppengrün und den Gewürzen nach 2 Stunden zum Fleisch geben. Alles eine weitere Stunde bei geringer Hitze gar ziehen lassen.

Für die Soße den Meerrettich schälen und fein reiben, mit Semmelbröseln und Eigelb mischen. Einen Schöpflöffel von der Fleischbrühe unterrühren und mit Essig, Zucker, Salz und Pfeffer würzen. Das Fleisch in Scheiben schneiden und mit der Meerrettichsoße und den Schnittlauchröllchen auf Tellern anrichten.

Neues Schloss Herrenchiemsee

Die Insel Herrenchiemsee ist die größte der drei Chiemseeinseln. Ludwig II. ließ hier nach dem Vorbild von Schloss Versailles das Neue Schloss Herrenchiemsee erbauen.

Die Kampenwand in den Chiemgauer Alpen

Die Kampenwand ist ein beliebter Berg für Kletterer. Im Winter gibt es hier die Möglichkeit zum Skifahren, im Sommer wird das Gebiet gerne von Drachen- und Gleitschirmfliegern genutzt. Der 1669 Meter hohe Berg ist aufgrund seiner exponierten Lage und seines markanten Profils, das an einen Hahnenkamm erinnert, weithin sichtbar.

Fronleichnamsumzug

Zu Fronleichnam finden überall in Bayern
große Prozessionen statt. Dabei wird nach
der Heiligen Messe in einem Festzug eine
geweihte Hostie als Symbol für den Leib
Jesu Christi durch die Straßen getragen.

Englischer Garten in München

Vor allem im Sommer ist
der Englische Garten An-
ziehungspunkt für Jung
und Alt: Hier trifft man
sich im Biergarten, auf der
Wiese zum Sonnenbaden
oder Thai Chi oder bei
einer der vielen kulturel-
len Veranstaltungen.

Befreiungshalle in Kelheim

Den Auftrag für den Bau der Befreiungshalle gab König Ludwig I. Die Gedenkstätte steht für die siegreichen Schlachten gegen Napoleon in den Befreiungskriegen 1813–1815. Im Inneren der Halle reichen sich 34 Siegesgöttinnen aus weißem Marmor die Hände. Sie symbolisieren die 34 Staaten des Deutschen Bundes, der 1815 gegründet wurde.

Deutsches Museum in München

Auf einer ehemaligen Kiesbank in der Isar, heute Museumsinsel genannt, liegt das Deutsche Museum in München. Es ist das größte naturwissenschaftlich-technische Museum der Welt.

Fleischpflanzerl

Für 4 Personen: • **1** Brötchen vom Vortag • **600 g** Hackfleisch, gemischt • **1** Ei • **1** Zwiebel
• **1** Knoblauchzehe • **2 EL** Butterschmalz • Paprikapulver • Muskat • Majoran • **½ Bund**
Petersilie • Salz und Pfeffer

Das Brötchen einige Minuten in warmem Wasser einweichen und gut
ausdrücken. Hackfleisch, Ei und Brötchen in eine Schüssel geben. Die
Zwiebel und den Knoblauch abziehen und fein hacken, in 1 EL Butterschmalz anschwitzen und zum Hackfleisch geben. Mit Salz, Pfeffer,
Paprikapulver, Muskat und Majoran würzen. Die Petersilie fein hacken
und dazugeben. Den Fleischteig gut durchkneten, zu Pflanzerln formen
und in einer Pfanne mit dem restlichen Butterschmalz braun braten.
Dazu passt Kartoffelsalat.

Interessant!

Der Tegernsee wird im Volksmund auch „Lago di Bonzo" genannt, da dort viele einflussreiche und wohlhabende Menschen ein Haus mit Seeblick besitzen.

Olympiapark in München

Die ausgefallene Zeltdachkonstruktion der Olympiahalle ist charakteristisch für den Münchner Olympiapark. Das Dach aus lichtdurchlässigem Plexiglas galt zur Zeit seiner Errichtung als optische und statische Sensation. Heute kann das Dach bei einer Zeltdach-Tour bestiegen und die wundervolle Aussicht über München bewundert werden.

Bayerisches Gasthaus

Typisch für Bayern sind die zahlreichen traditionellen Gaststätten. Bei einem hausgebrauten Bier und gutem Essen können Sie in gemütlichen Räumlichkeiten die besondere Atmosphäre eines bayerischen Gasthauses genießen.

Jenner

Schaut man vom 1874 Meter hohen Berg Jenner in die Ferne und ins Tal, hat man den sogenannten „Königsblick". Gemeint ist damit die wundervolle Aussicht auf den Watzmann und den Königssee.

Dialekt

Diridari = Geld

Kartoffelsalat mit Leberkäse

Für 4 Personen: • **1 kg** festkochende Kartoffeln • **1** Zwiebel • **50 g** geräucherter Speck • **250 ml** heiße Gemüsebrühe • **3 EL** Weißweinessig • **3 EL** Öl • **4 Scheiben** Leberkäse • Salz und Pfeffer • Senf

Die Kartoffeln 20 Minuten in Salzwasser garen, dann pellen und in Scheiben schneiden. Zwiebel und Speck fein würfeln und in der Pfanne 3 Minuten anbraten. Die Mischung zu den Kartoffeln geben und die heiße Brühe mit Essig und Öl untermischen. Mit Salz und Pfeffer würzen und ziehen lassen. Den Leberkäse nach Belieben in der Pfanne mit etwas Öl knusprig braten oder ungebraten anrichten. Auf Tellern mit Senf servieren.

Franz Beckenbauer

Franz Beckenbauer (geb. 1945) gilt als einer der besten Fußballer aller Zeiten. Einer Anekdote zufolge wurde er nach einem Freundschaftsspiel des FC Bayern in Wien zur Aufnahme von Fotos neben eine Büste des österreichischen Kaisers Franz I. platziert. Daraufhin wurde er in einem Artikel als „Fußball-Kaiser" bezeichnet. Seitdem trägt er den Spitznamen „Der Kaiser".

Kloster Weltenburg

Das Kloster Weltenburg hat seit 1050 eine eigene Brauerei, die vermutlich die älteste bestehende Klosterbrauerei der Welt ist. Das hier gebraute Bier wird im Biergarten im Klosterhof ausgeschenkt.

Almabtrieb

Jedes Jahr werden vor dem Kälteeinbruch zwischen September und Oktober die Kühe von der Alm ins Tal gebracht. Wenn die Tiere den Almsommer wohlbehalten überstanden haben, trägt die „Kranzkuh" einen Kopfschmuck aus Blumen, Zweigen, Bändern und Gräsern. Die Glocken um den Hals sollen böse Geister fernhalten.

Rahmschwammerl

Für 4 Personen: • **600 g** gemischte Pilze • **1** Zwiebel • **1** Knoblauchzehe • **40 g** Butter • **125 ml** Gemüsebrühe • **125 ml** süße Sahne • Zitronensaft • **2 EL** Speisestärke • Schnittlauch • Salz und Pfeffer

Die Pilze putzen und in Scheiben schneiden. Die Zwiebel und den Knoblauch abziehen, klein schneiden und in einem Topf mit Butter anschwitzen. Die Pilze dazugeben, mit Brühe und Sahne aufgießen. Mit Salz, Pfeffer und Zitronensaft abschmecken. Die Speisestärke mit etwas kaltem Wasser anrühren und die Soße damit binden. Die Pilzsoße mit Schnittlauchröllchen bestreut servieren. Dazu passen Semmelknödel.

Kapellplatz in Altötting

Das Zentrum der Wallfahrt in Altötting ist der Kapellplatz mit seinen geistlichen und weltlichen Gebäuden in verschiedenen Stilrichtungen. Zu den markantesten Bauwerken gehören die Gnadenkapelle und die Stiftspfarrkirche.

Viktualienmarkt

Der Begriff „Viktualien" leitet sich von dem lateinischen Wort *victus* für „Vorräte" oder „Lebensmittel" ab. Den Viktualienmarkt in München gibt es seit über 200 Jahren. Er bietet ein reichhaltiges Angebot an hochwertigen Spezialitäten.

Kandahar-Abfahrt in Garmisch-Partenkirchen

Auf der legendären Kandahar-Abfahrt kommen die Teilnehmer des Rennens vom „Himmelreich" in die „Hölle": So heißen zwei Abschnitte auf der anspruchsvollen Damenstrecke.

Kartoffelpuffer

Für 4 Personen: • **1 kg** Kartoffeln • **1** Zwiebel • **2** Eier • Muskat • Öl • Salz und Pfeffer
Außerdem: • **1 Glas** Apfelmus

Die Kartoffeln waschen, schälen und in eine Schüssel reiben. Die Flüssigkeit der geriebenen Kartoffeln mit der Hand etwas ausdrücken und abschütten. Die Zwiebel ebenfalls reiben und mit den Eiern zu der Masse hinzugeben. Mit Salz, Pfeffer und Muskat würzen. Die Puffer in einer Pfanne mit heißem Öl ausbacken. Auf Küchenpapier abtropfen lassen und mit Apfelmus servieren.

Nebelhorn

Von Oberstdorf aus ist das 2224 Meter hohe Nebelhorn mit der Nebelhornseilbahn zu erreichen. Die Seilbahn ist fast 6 Kilometer lang und überwindet eine Höhendifferenz von 1400 Metern.

Murmeltier

In den Bergen Bayerns sind
Murmeltiere heimisch.
Wenn man sie nicht sieht,
hört man sie „pfeifen". Die
Pfiffe sollen Artgenossen
vor Gefahr warnen.

Schloss Schleißheim

Der aus drei Schlossbauten bestehende Gebäudekomplex aus dem 17. und 18. Jahrhundert gehört zu den bedeutendsten Barockanlagen in Deutschland. Hier findet alljährlich das Sommerfest des Bayerischen Landtags statt.

Interessant!

Der Münchner Komponist Richard Strauss
(1864 – 1949) wurde vom Jodeln beeinflusst.
Für die Rolle der Fiakermilli in seiner Oper
Arabella komponierte er einige Jodler.

Bayerisches Volkslied

Das „Bayerische Hiasl" erzählt
von einem Wilderer:

Bin i der Boarisch Hiasl,
koa Jager hat a Schneid,
der mir mei Feder und Gamsbart
vom Hiatl obakeit! (…)

Dialekt

Hasl, Gschbuusi = Freundin

Prinzregententorte

Für 4 Personen

Für den Teig:

- **4** Eier
- **250 g** Zucker
- **250 g** Butter
- **1 Prise** Salz
- **1 TL** abgeriebene Zitronenschale, unbehandelt
- **200 g** Weizenmehl
- **2 EL** Speisestärke
- **1 TL** Backpulver

Für die Creme:

- **1 Päckchen** Puddingpulver
  Schokolade
- **2 TL** Speisestärke
- **100 g** Zucker
- **2 EL** Kakao
- **500 ml** Milch
- **300 g** weiche Butter

Außerdem:

- Butter für Form
- **250 g** Zartbitterkuvertüre

Prinzregententorte

Den Backofen auf 200 °C vorheizen. Für den Teig die Eier trennen.
Die Eigelbe mit dem Zucker schaumig rühren. Die Butter schmelzen und zusammen mit dem Salz, der Zitronenschale, dem Mehl,
der Stärke und dem Backpulver unterrühren. Die Eiweiße zu steifem
Schnee schlagen und vorsichtig unterziehen. Den Teig in 6 Portionen
teilen. Eine Springform (Ø 26 cm) mit Butter einfetten und nach-
einander im Backofen in je 6–8 Minuten 6 dünne Böden backen.
Die Böden sofort aus der Form lösen und auf einem Kuchengitter
auskühlen lassen. Für die Creme das Puddingpulver mit der Stärke,
dem Zucker und dem Kakao in etwas kalter Milch glatt rühren. Die
restliche Milch zum Kochen bringen, die angerührte Puddingmasse
hineingeben und einmal kurz aufkochen lassen, dann vom Herd
ziehen und abkühlen lassen. Die Butter schaumig schlagen und den
Pudding esslöffelweise einrühren. 2 – 3 EL von der Creme für die

Garnitur beiseitestellen. 5 der ausgekühlten Tortenböden mit der Creme bestreichen und aufeinandersetzen. Dann den letzten Boden daraufsetzen. Zum Überziehen die Kuvertüre grob hacken, im heißen Wasserbad schmelzen und etwas abkühlen lassen. Sobald die Kuvertüre fest zu werden beginnt, die Torte mit einer breiten Palette ringsum damit einstreichen. Die restliche Creme nach Belieben in einen Spritzbeutel mit Lochtülle füllen und die Torte damit verzieren. Danach kühl stellen und fest werden lassen.

Deutsches Hopfenmuseum in Wolnzach

Die Hallertau in Oberbayern ist das größte Hopfenanbaugebiet Deutschlands. Hier wurde 2005 das Deutsche Hopfenmuseum eröffnet, in dem man alles Wissenswerte über den Hopfen erfährt. Das Museum bietet Bierseminare an, bei denen man die Geschmacks- und Sortenwelt der Biere kennenlernen kann.

Steinerne Brücke in Regensburg

Die älteste Steinbrücke in Deutschland ist ein Meisterwerk der mittelalterlichen Baukunst. Sie wurde zwischen 1135 und 1146 erbaut und war mehrere Jahrhunderte lang der einzige gemauerte Donauübergang zwischen Ulm und Wien.

Tierpark Hellabrunn in München

Wegen seiner vielen Brücken, Wasserläufe und Wasserkanäle wird der Tierpark Hellabrunn als „Venedig unter den Zoos" bezeichnet. Er wurde 1911 als erster Geo-Zoo der Welt gegründet, was bedeutet, dass hier die Tiere nach geografischen Gesichtspunkten gehalten werden.

Pilatushaus in Oberammergau

Eines der bekanntesten und wichtigsten Werke der Lüftlmalerei ist die Dekoration des Pilatushauses in Oberammergau. Das Gebäude beherbergt eine „Lebende Werkstatt",
in der Sie den Kunsthandwerkern beim Holzschnitzen,
Töpfern und bei der Hinterglasmalerei über die Schultern
schauen können.

Interessant!

Ursprünglich war der Schuhplattler vermutlich eine Art der Brautwerbung: Seine Bewegungen waren vom Balztanz des Auerhahns inspiriert.

Starnberger See

Erst im Jahr 1962 erhielt er seinen heutigen Namen: Starnberger See. Vorher hieß er Würmsee, nach dem Fluss Würm, der hier entspringt. Berühmt wurde der See durch den Tod Ludwigs II., der hier 1886 unter ungeklärten Umständen ertrank.

Dialekt

Schwammerl = Pilz

Auszogne

Für 12 Stück: • **250 ml** Milch • **50 g** Zucker • **20 g** Frischhefe • **500 g** Weizenmehl • **2** Eier • **1** Eigelb • **60 g** weiche Butter • **1 Prise** Salz • abgeriebene Schale von **1** Zitrone, unbehandelt *Außerdem:* • Fett zum Ausbacken • Puderzucker

Die Milch, 1 Prise Zucker und die zerbröckelte Hefe zu einem Vorteig verrühren und 10 Minuten gehen lassen. Mehl, Eier, Eigelb, Butter, Salz, Zucker und Zitronenschale in eine Schüssel geben, den Vorteig hinzufügen und alles verkneten. Weitere 10 Minuten gehen lassen. Aus dem Teig mehrere Semmeln formen und diese wieder 10 Minuten gehen lassen. Mit eingefetteten Fingern die Teigstücke ausziehen, sodass ein dicker Rand mit einer dünnen Mitte entsteht. Das Fett in einem Topf erhitzen und die Auszogne darin ausbacken. Auf Kuchenpapier abtropfen lassen und mit Puderzucker bestreuen.

Domplatz in Passau

Der Duft von Lebkuchen, Gewürzen und Bratäpfeln zieht über den Passauer Christkindlmarkt. Dieser findet jedes Jahr vor der prächtigen Kulisse des Passauer Stephansdoms statt. Der Domplatz ist zugleich der höchste Punkt der Altstadt.

Hofbräuhaus in München

Skandal im Hofbräuhaus: Am 8. September 1908 bestellte ein Gast ein Glas Zitronenlimonade. Der Wirt selbst musste den Service übernehmen, da sich die Bedienungen weigerten.

Der Müllner-Peter von Sachrang

Peter Huber (1766–1843), auch der Müllner-Peter von Sachrang genannt, war ein echtes Multitalent: musikalisch sehr begabt, mit einem breiten Wissen in Heilkunde und Astronomie, das er zugunsten seines Heimatdorfs Sachrang und dessen Bewohnern einsetzte. Auch die Renovierung der Ölbergkapelle ging auf seine Initiative zurück.

Heini-Klopfer-Skiflugschanze in Oberstdorf

Die erste Skiflugschanze an dieser Stelle war eine Holz-konstruktion, die der Architekt und Skispringer Heini Klopfer im Jahr 1950 entworfen hatte. Er selbst weihte die Schanze mit einem 90-Meter-Skiflug ein. Im Volks-mund wird die freistehende Spannbeton-Konstruktion auch „Schiefer Turm von Oberstdorf" genannt.

Bayerisches Bier

Im ältesten deutschen Stadtrecht, der *Justitia Civitatis Augustensi* von Augsburg (1156), steht geschrieben: „Wenn ein Bierschenker schlechtes Bier macht oder ungerechtes Maß gibt, soll er bestraft werden ..."

Bayerische Creme mit Pfirsichen

Für 6 Personen: • **1** Vanilleschote • **500 ml** Milch • **8 Blatt** Gelatine • **5** Eigelb • **140 g** Zucker • **400 ml** süße Sahne • **500 g** Pfirsiche • **1** Limette, unbehandelt • **2 EL** Pfirsichlikör

Das ausgekratzte Vanillemark in die erhitzte Milch einrühren. Die Gelatine in kaltem Wasser einweichen. Das Eigelb und 120 g Zucker schaumig rühren, mit der Vanillemilch im heißen Wasserbad schlagen, bis die Masse andickt. Die Gelatine ausdrücken und darin auflösen. Aus dem Wasserbad nehmen und noch etwas weiterrühren. Die Sahne schlagen und unterziehen, bevor die Masse zu gelieren beginnt. Die Creme in kalt ausgespülte Formen füllen und im Kühlschrank 2 – 3 Stunden kühlen. Die Pfirsiche kurz blanchieren, abschrecken und häuten, dann in Spalten schneiden. Limettensaft und abgeriebene Limettenschale mit dem Likör vermischen, die Pfirsiche damit beträufeln. 2 Stunden ziehen lassen, dann mit der gestürzten Creme servieren.

Karl Valentin

Der berühmte Autor und Komiker Karl Valentin (1882 –
1948) eröffnete 1931 sein eigenes Theater in der Münchner Leopoldstraße. Da er jedoch in einem Sketch auf einen
brennenden Zigarettenstummel nicht verzichten wollte
und dies gegen die Brandschutzauflagen verstieß, musste
er das Theater nach wenigen Wochen wieder schließen.

St. Bartholomä am Königssee

Die Wallfahrtskapelle auf der Halbinsel Hirschau am Königssee ist St. Bartholomäus, dem Schutzheiligen der Almbauern gewidmet. Der Grundriss dieser Kapelle ahmt in der Form den Salzburger Dom nach.

Christkindlanschießen

Der in vielen bayerischen Gemeinden praktizierte Brauch ist eine jahrhundertealte Tradition, bei der das Christkind mit Böllerschüssen begrüßt wird. Das Christkindlanschießen findet meist ab dem 17. Dezember bis zum Heiligen Abend statt.

Wieskirche

Der Bau der Wallfahrtskirche geht auf das „Tränenwunder" von 1738 zurück: Eine Bäuerin entdeckte hier an einer Jesusfigur Tränen. Heute ist die Wieskirche ein vielbesuchtes UNESCO-Weltkulturerbe.

Wendelstein

Um auf den 1838 Meter hohen Wendelstein zu gelangen, gibt es drei Möglichkeiten: mit der Wendelstein-Seilbahn, mit der Zahnradbahn oder zu Fuß. Die Zahnradbahn wurde 1912 erbaut und ist die älteste noch aktive Zahnradbahn Bayerns.

Salzbergwerk Berchtesgaden

Begeben Sie sich auf eine Salzzeitreise: Bei einer Fahrt mit der Grubenbahn erfahren Sie Spannendes über Abbau und Verarbeitung des Salzes. Höhepunkte sind die Bergmannsrutsche und eine Fahrt auf dem unterirdischen Salzsee.

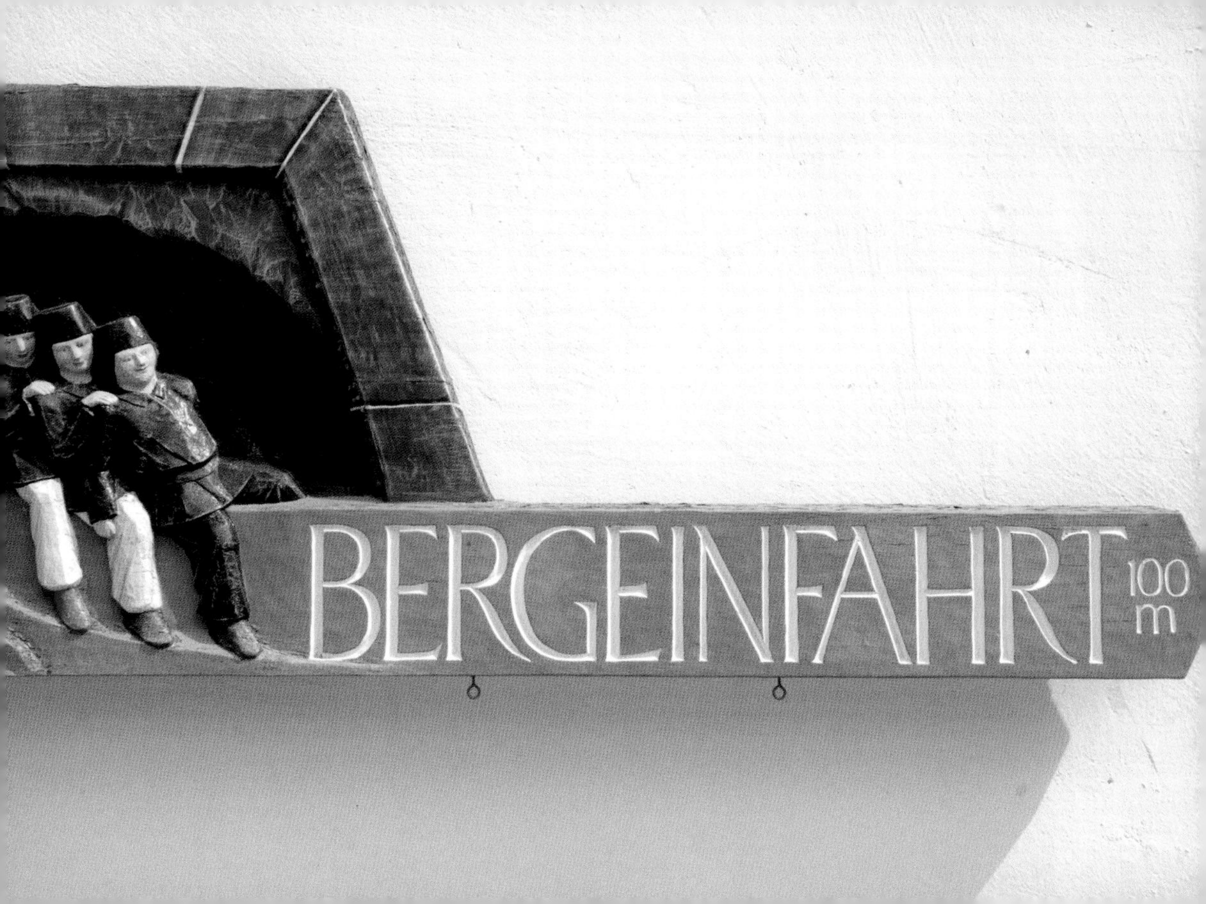
BERGEINFAHRT
100 m

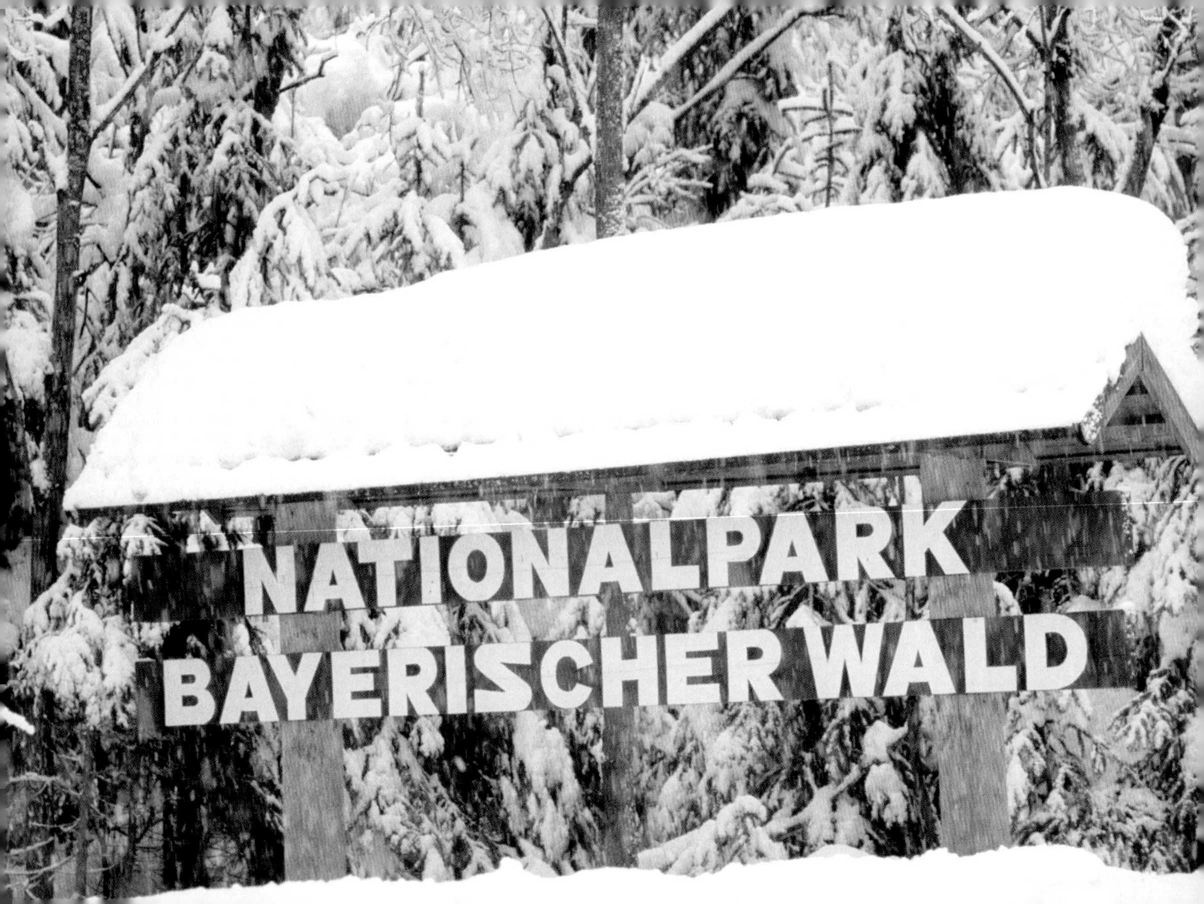
NATIONALPARK
BAYERISCHER WALD

Nationalpark Bayerischer Wald

Der Nationalpark Bayerischer Wald wurde 1970 als erster Nationalpark Deutschlands gegründet. Zusammen mit dem angrenzenden Böhmerwald bildet er die größte zusammenhängende Waldfläche Mitteleuropas.

Dialekt

Seawas = Servus
Griesgod = Grüß' Gott
Hawediäre = Habe die Ehre

Buchteln

Für 4 Personen: • **375 g** Weizenmehl • **½ Würfel** Frischhefe • **3 EL** Zucker • **175 ml** lau-warme Milch • **1** Ei • **30 g** Margarine *Außerdem:* • Vanillesoße

Das Mehl in eine Schüssel sieben, in die Mitte eine Vertiefung drücken. Die Hefe hineinbröckeln und mit etwas Zucker und lauwarmer Milch zu einem Vorteig verrühren. 20 Minuten gehen lassen. Die restlichen Zutaten hinzugeben, zu einem Teig verkneten und 30 Minuten gehen lassen. Aus dem Teig Rollen formen, in Brötchengröße abschneiden, in einer gefetteten Form aneinandersetzen und weitere 20 Minuten gehen lassen. Im Backofen bei 200 °C 20 Minuten goldbraun backen. Die Buchteln mit Puderzucker bestäuben und mit Vanillesoße servieren.

Schloss Hohenschwangau

Schloss Hohenschwangau diente der bayerischen Königsfamilie als Sommerresidenz. König Ludwig II. verbrachte hier seine Kindheit und ließ später direkt gegenüber Schloss Neuschwanstein errichten.

Ammersee

Der drittgrößte bayerische See ist ein beliebtes Ausflugsziel der nahegelegenen Großstädte München und Augsburg. Trotz des Besucheransturms, vor allem im Sommer, gibt es noch naturnahe Uferzonen, wie z. B. das Vogelschutzgebiet am Südufer.

Almhütte

Die klassische Bewirtschaftung der Almhütten als Viehstall und Wohnung für die Senner im Sommer ist kaum noch üblich. Heute werden die meisten Almhütten als Schutzhütten, Skihütten oder Ferienhäuser genutzt.

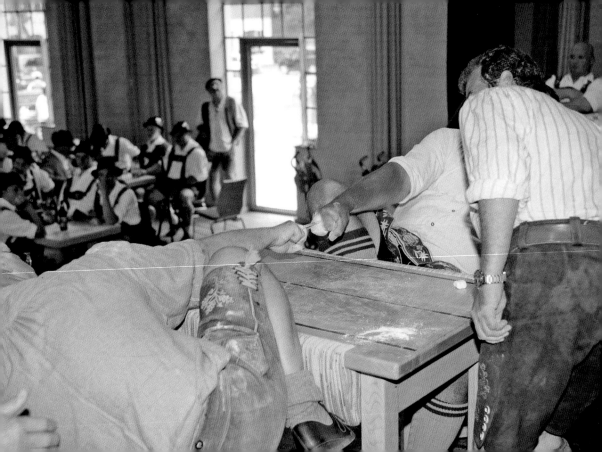

Fingerhakeln

Ursprünglich wurden mit dem Fingerhakeln bei Streitereien Entscheidungen gefällt. Heute ist es in Bayern ein organisierter Sport mit genauen Regelmaßen für Tische, Hocker oder die verwendeten Lederriemen. Gelegentlich werden auch nur die Zeigefinger der Wettstreiter ohne Zuhilfenahme eines Lederriemens ineinander gehakt.

Ludwig II. von Bayern

Der Frauenschwarm Ludwig II. von Bayern (1845 – 1886) war nie verheiratet. Er hatte sich zwar 1867 mit Sophie in Bayern verlobt, die er bereits seit seiner Kindheit kannte, doch er schob die Hochzeit immer weiter hinaus. Schließlich löste er die Verlobung auf, worüber Sophies Eltern empört waren. Sophie selbst nahm die Nachricht jedoch gelassen auf, hatte sie sich doch bereits kurz nach der Verlobung mit Ludwig in den Kaufmann Edgar Hanfstaengl verliebt.

Königshaus am Schachen

König Ludwig II. von Bayern ließ das Königshaus am Schachen als Rückzugsort errichten. Von außen betrachtet sieht das aus Holz konstruierte Haus sehr bescheiden aus. Im Obergeschoss jedoch befindet sich das „Türkische Zimmer", das prunkvoll im orientalischen Stil ausgestattet ist. Wer es besichtigen möchte, muss einen 3 bis 4 Stunden langen Fußmarsch in Kauf nehmen – Ludwig II. ließ sich mit der Pferdekutsche hinauffahren!

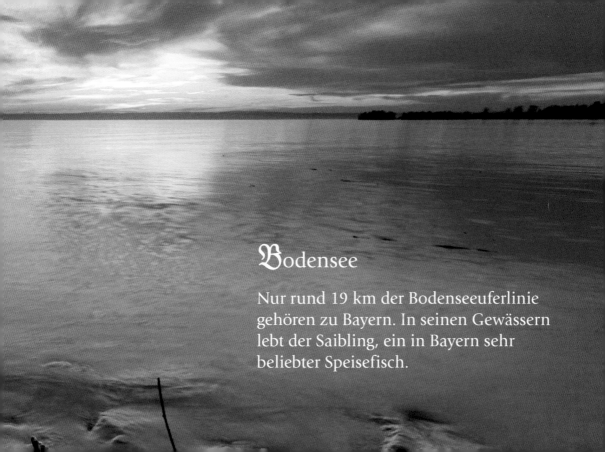

Bodensee

Nur rund 19 km der Bodenseeuferlinie
gehören zu Bayern. In seinen Gewässern
lebt der Saibling, ein in Bayern sehr
beliebter Speisefisch.

Dialekt

Hutzlbria = dünner Kaffee

Dom St. Peter in Regensburg

Der Dom St. Peter in Regensburg ist die Heimat der Regensburger Domspatzen, die auf eine mehr als tausendjährige
Geschichte zurückblicken können. Von 1964 bis 1994 wurden die Domspatzen von Georg Ratzinger, dem Bruder von
Papst Benedikt XVI., geleitet. Derzeit hat der Kirchenmusi-
ker Roland Büchner die Leitung inne – seit 1801 der erste
nichtgeistliche Chorleiter am Regensburger Dom.

Allianz-Arena in München

Die Fassade des Fußballstadions ist aus Folien-
kissen zusammengesetzt, die in verschiedenen
Farben beleuchtet werden können. In klaren
Nächten ist ihr Licht bis in eine Entfernung
von 75 km sichtbar.

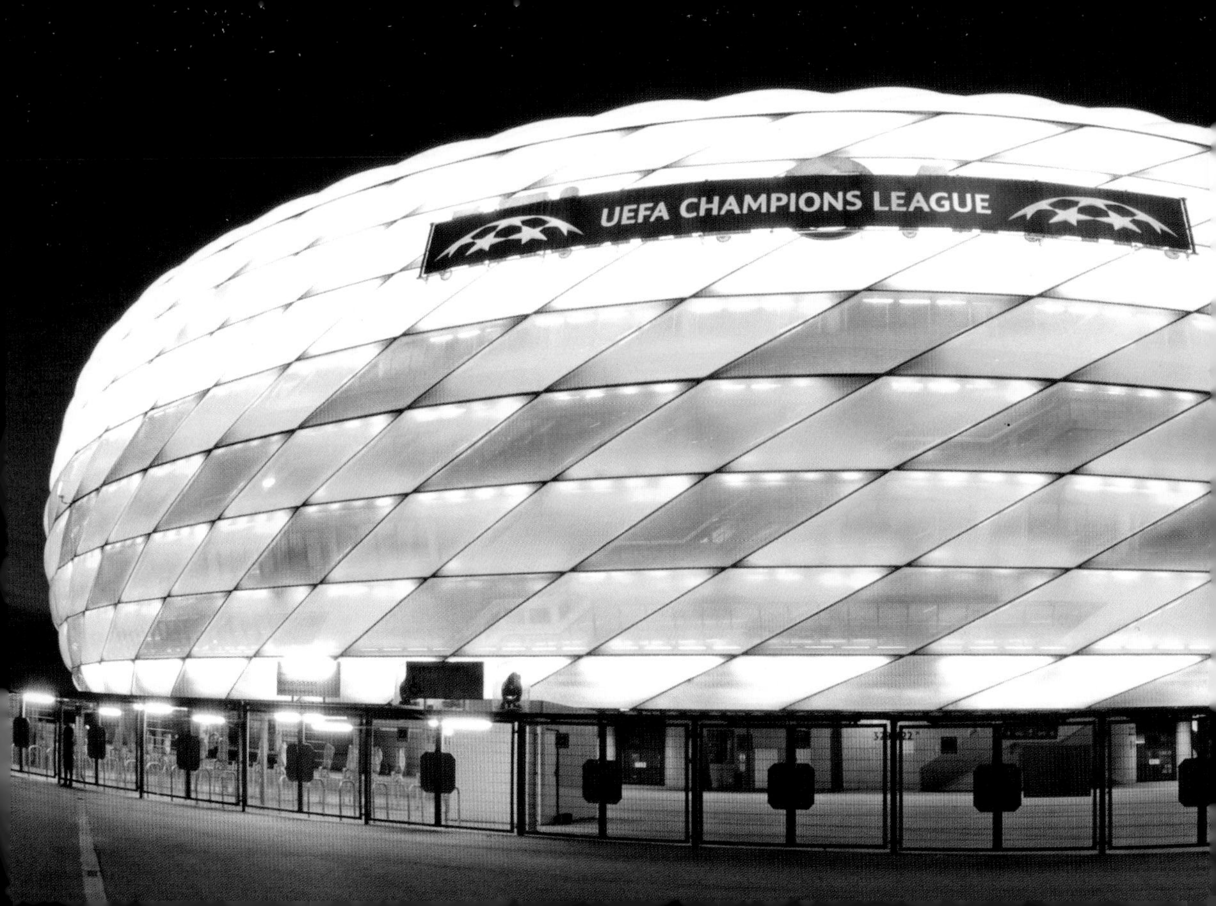
UEFA CHAMPIONS LEAGUE

Der Jäger von Fall

„Der Jäger von Fall", ein turbulentes Eifersuchtsdrama nach dem gleichnamigen Heimatroman von Ludwig Ganghofer (1855 – 1920), wurde zwischen 1918 und 1974 fünfmal verfilmt.

Kloster Seeon

Wolfgang Amadeus Mozart (1756–1791) schrieb zwei Offertorien für das Benediktinerkloster Seeon, die 1771 dort uraufgeführt wurden. Am Ufer des Klostersees steht noch heute die sog. Mozarteiche, unter der er bei seinen Aufenthalten im Kloster sehr gerne gesessen haben soll.

Kunsteisbahn am Königssee

Die Kunsteisbahn für Bob-, Rodel- und Skeletonsport war die erste Kunsteisbahn der Welt. Wenn keine Rennen oder Meisterschaften stattfinden, ist die Bahn auch für die Öffentlichkeit nutzbar.

Gäubodenfest
in Straubing

Das Gäubodenfest geht auf König Maximilian I. Joseph zurück, der es 1812 als Landwirtschaftsschau gründete. In der heutigen Form als Volksfest mit Vergnügungspark und Landwirtschafts- sowie Gewerbeschau besteht es seit 1949.

Bayerischer Mohnstriezel

Für 4 Personen

Für den Teig:
- **1 Würfel** Frischhefe
- **70 g** Zucker
- **500 g** Weizenmehl
- **200–250 ml** lauwarme Milch
- **1 Prise** Salz
- **1** Ei
- **75 g** weiche Butter

Für die Füllung:
- **100 g** Rosinen
- **3 EL** Rum
- **250 g** Mohn, gemahlen
- **30 g** Grieß
- **200 ml** Milch
- **100 g** Zucker
- **1 TL** abgeriebene Zitronenschale, unbehandelt

- **2–3 EL** Mandeln, gehackt
- **2 EL** Haselnüsse, gehackt

Außerdem:
- **2 EL** Puderzucker
- **2–3 TL** Zitronensaft

Bayerischer Mohnstriezel

Die Hefe mit 1 Prise Zucker in der lauwarmen Milch auflösen und 10 Minuten stehen lassen. Dann mit den restlichen Teigzutaten verkneten. An einem warmen Ort ca. 60 Minuten gehen lassen. Den Backofen auf 180 °C vorheizen. Die Rosinen im Rum einweichen. Mohn und Grieß vermischen. Die Milch aufkochen und darübergießen, dann die Rum-Rosinen, den Zucker, die Zitronenschale, die Mandeln und die Nüsse unterrühren. Das Ganze ca. 15 Minuten quellen lassen. Den Hefeteig kneten und auf einer bemehlten Arbeitsfläche zu einem Rechteck von ca. 30 × 35 cm ausrollen. Die Füllung darauf verteilen und einen 2 cm breiten Rand frei lassen. Den Teig dann von der Längsseite her auf beiden Seiten aufrollen und auf ein gefettetes Backblech legen. Nochmals 20 Minuten gehen lassen, dann ca. 45 Minuten goldbraun backen. Den Puderzucker mit dem Zitronensaft verrühren und den abgekühlten Mohnstriezel damit bestreichen.

Bavaria Filmstadt in Geiselgasteig

Hier haben interessierte Besucher die Möglichkeit, hinter die Kulissen der Kino- und Fernsehwelt zu schauen. Das Bullyversum ist dem Filmschaffen von Michael (Bully) Herbig gewidmet. Mit zahlreichen Requisiten, Kulissen und Animationen taucht der Besucher in die Welt seiner Filme ein.

Pilzkiosk in Regensburg

Der „Milchpilz", ein Kioskhäuschen in Pilzform, wurde in den 1950er-Jahren zum Verkauf von Milchprodukten entwickelt. In Deutschland und Österreich sind von den ursprünglich mehr als 50 Exemplaren nur noch wenige in Betrieb, die z.T. als Imbiss- oder Süßwarenstände genutzt werden. Der Pilzkiosk in Regensburg wird als Stehcafé betrieben und steht seit 2003 unter Denkmalschutz.

Partnachklamm in Garmisch-Partenkirchen

Das ca. 80 Meter tiefe Naturspektakel wurde 1912 touristisch erschlossen und zum Naturdenkmal erklärt. Ein besonderes Erlebnis erwartet die Besucher im Winter, wenn meterlange Eiszapfen von den steilen Wänden ragen.

Prinzregent Luitpold

Prinzregent Luitpold von Bayern (1821–1912) war das fünfte Kind und der Lieblingssohn Ludwigs I. Er übernahm für seinen Neffen König Ludwig II. zahlreiche repräsentative Aufgaben und führte die Regierungsgeschäfte weiter, als Ludwig II. 1886 entmündigt worden war.

Bad Tölz

Der heutige Kurort entging gegen Ende des Zweiten Weltkriegs nur knapp der Zerstörung. Wegen der dort befind-
lichen SS-Junkerschule wollten die Alliierten die Stadt
bombardieren, mussten aber aufgrund extrem schlechter
Sichtverhältnisse wieder abdrehen. Von den Einheimischen
wurde dies als „Wunder von Bad Tölz" bezeichnet. Zum
Dank wurde nach dem Krieg der große Reichsadler an der
Isarbrücke zu einer Madonnenstatue umgeschmolzen, die
heute einen Brunnen in der Marktstraße ziert.

Rezeptregister

©2013 design cat GmbH

Genehmigte Lizenzausgabe
tosa GmbH
Fränkisch-Crumbach 2014
www.tosa-verlag.de

Idee und Projektleitung: Sonja Sammüller
Layout, Satz und Umschlaggestaltung:
design cat GmbH

ISBN 978-3-86313-247-7

Der Inhalt dieses Buches wurde von Autor und
Verlag sorgfältig erwogen und geprüft. Es kann
keine Haftung für Personen-, Sach- und/oder
Vermögensschäden übernommen werden.

Kein Teil dieses Werkes darf ohne schriftliche
Einwilligung des Verlages in irgendeiner Form
(inkl. Fotokopien, Mikroverfilmung oder anderer
Verfahren) reproduziert oder unter Verwendung
elektronischer oder mechanischer Systeme
verarbeitet, vervielfältigt oder verbreitet werden.

Bildnachweis:

picture-alliance: StockFood/Arras, Klaus 17; StockFood/Bischof, Harry 127; StockFood/
Bonisolli, Barbara 33, 57, 75, 181; StockFood/Eising Studio - Food Photo & Video 39,
153, 195, 243; StockFood/Feiler Fotodesign 165; StockFood/Foodcollection GesmbH 65;
StockFood/Grundmann, Bernd 85; StockFood/Kirchherr, Jo 137; StockFood/Newedel,
Karl 7, 49, 99, 173, 213, 225; StockFood/Studio Schiermann/FC 273; StockFood/Teubner
Foodfoto GmbH 113, 121

akg/akg-images 12, 226; akg-images 264; akg// Florian Profitlich 69; APA/Barbara
Gindl 135; Arco Images/J. Moreno 40–41, 233; Arco Images GmbH/Weimann, P. 60–61;
Arco Images GmbH/W. Wirth 283; Augenklick/Rauchensteiner/Rauchensteiner/
Augenklick 203; Baumgart, Ursula/SZ Photo/Baumgart, Ursula 187; Bernhaut 131;
Bildagentur Huber/Bildagentur Huber 253; Bildagentur Huber/Bildagentur Huber /
Gr nhain 154–155; Bildagentur Huber/Bildagentur Huber/Gräfenhain 50–51, 174–175,
230; Bildagentur Huber/Bildagentur Huber / Huber Hans-Peter 44, 178–179, 208–209,
221, 244; Bildagentur Huber/Bildagentur Huber/O. Stadler 132; Bildagentur Huber/
Bildagentur Huber/R. Schmid 25, 106–107, 118–119, 214; Bildagentur Huber/Bild-
agentur Huber / R lt Bernd 90–91; Bildagentur Huber/Bildagentur Huber / Schmid
Reinhard 29, 97, 116, 122, 168–169, 191, 234, 260, 280; Bildagentur Huber/Bildagentur
Huber / Stadler Otto 200–201; botanikfoto/Steffen Hauser 229; BREUEL-BILD/Karin
Mohren 276; chromorange/CHROMORANGE / P. Widmann 149, 217; chromorange/R.
Lichius / CHROMORANGE 267; chromorange/CHROMORANGE / Torsten Marx 284;
dpa/Armin Weigel 18–19, 88, 198, 270–271, 279; dpa/Daniel Karmann 43; dpa/Frank
Leonhardt 58, 254; dpa/Georg Goebel 207; dpa/Johanna Hoelzl 73; dpa/Karl-Josef
Hildenbrand 47; dpa/Marc Müller 54–55, 263; dpa/Markus C. Hurek 109, 246–247;
dpa/Peter Kneffel 80–81, 146–147, 156; dpa/Robert B. Fishman 21, 150; dpa/Stephan
Goerlich 100; dpa/Stephan Jansen 125, 237; dpa/Tobias Hase 15; dpa-Zentralbild/
Michael Reichel 103; IMAGNO/Anonym 188; JOKER/Ralf Gerard 190; Neubauer, Man-
fred/SZ Photo/Neubauer, Manfred 53; Okapia/Jo Fröhlich 82; Picture alliance/Ha-
ckenberg, Rainer 94; Picture-Alliance/Rolf Kosecki 268–269; picture alliance 34,
66; picture alliance/Frank May 182–183; picture alliance/Michael Campo 93; picture
alliance/Paul Mayall 142–143, 249; picture alliance/Peter Hirth 22; picture alliance/
Reinhard Eisele 128; RelaXimages/MONK 104; Robert Harding World Imagery/Gary
Cook 9; Robert Harding World Imagery/Hans-Peter Merten 79; sampics/sampics 166;
Schellnegger, Alessandra/SZ Phot/Schellnegger, Alessandra 159; S.E.Arndt/WILDLIFE/
WILDLIFE/S.E.Arndt 238; stockfood/FoodPhotography 212; Sueddeutsche Zeitung
Photo/Filser, Wolfgang 144–145; Sueddeutsche Zeitung Photo/Wildgruber, Josef 76,
250; WILDLIFE/WILDLIFE/Fuermann 218; www.bildagentur-online.com 204; www.
bildarchiv-monheim.de/Peter Eberts / 26; www.picturedesk.com/Franz Pritz 160–161;
www.picturedesk.com/GEORG HOCHMUTH 170

shutterstock: Alex Emanuel Koch 256/Catherine Murray 197/FotograFFF 211/Frank
Gaertner 87/Galushko Sergey 259/Hein Nouwens 136/Igorij 112/Ingrid Prats 177/
IngridHS 275/Khafizov Ivan Harisovich 37/Kzenon Cover Front, 30, 192/Lasse Kris-
tensen 139/Maya Kruchankova 241/Menno Schaefer 110/PixDeluxe 115/Pushkin 5/
Roberto Cerruti 184/Robyn Mackenzie 62/vinz89 162

Alle weiteren Fotos von design cat GmbH.